Dyddia

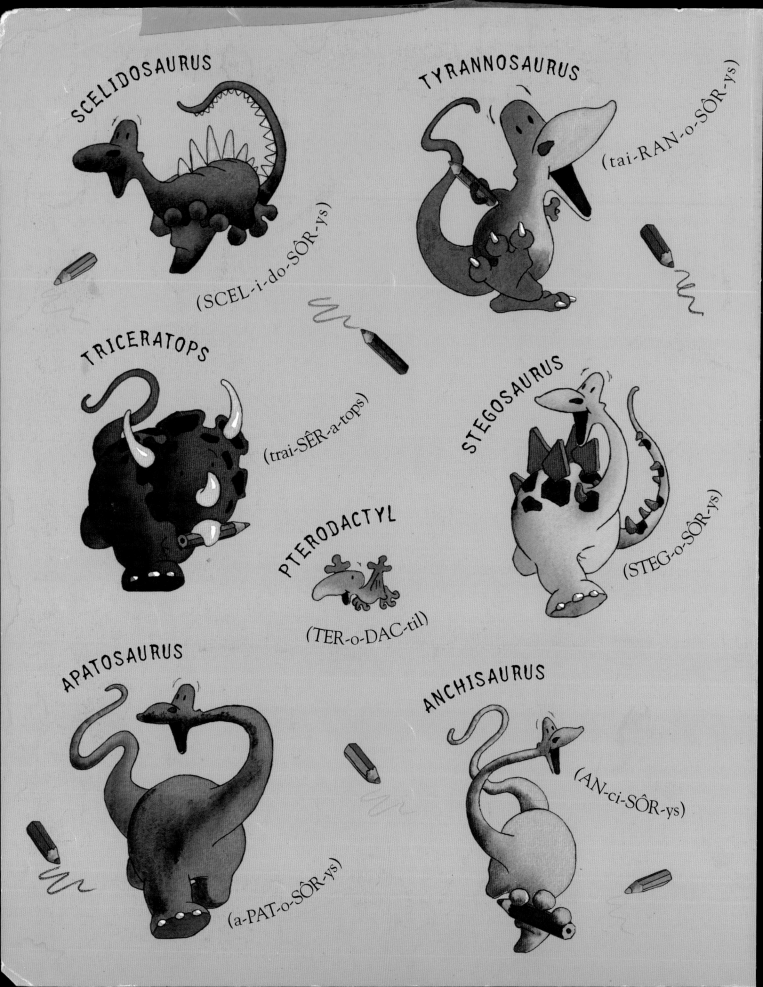

Er cof am Mason Jones ac i'w ffrindiau i gyd
yn Ysgol Gynradd Deri, Bargoed, sy'n gweld ei eisiau'n fawr iawn - I.W.

I Calum - A.R.

Cyhoeddwyd gyntaf yn 2006 dan y teitl *Harry and the Dinosaurs go to School* gan Puffin Books,
rhan o Grŵp Penguin, 80 Strand, London WC2R 0RL

Cyhoeddwyd gyntaf yng Nghymru yn 2007 gan Wasg Gomer, Llandysul, Ceredigion SA44 4JL
www.gomer.co.uk

ISBN 978 1 84323 853 9

ⓑ testun: Ian Whybrow, 2006 ©
ⓑ y lluniau: Adrian Reynolds, 2006 ©
ⓑ y testun Cymraeg: Sioned Lleinau, 2007 ©

Mae Ian Whybrow ac Adrian Reynolds wedi datgan eu hawl moesol
dan Ddeddf Hawlfraint, Dyluniadau a Phatentau, 1988
i gael eu cydnabod fel awdur ac arlunydd y llyfr hwn.

Dymuna'r cyhoeddwyr gydnabod cymorth Adrannau Cyngor Llyfrau Cymru.

Argraffwyd a rhwymwyd yn China

Owain
yn mynd i'r
Ysgol

Ian Whybrow . Adrian Reynolds
Addasiad Sioned Lleinau

Gomer

Roedd yn ddiwrnod mawr i Owain. Dyma'i ddiwrnod cyntaf
yn ei ysgol newydd. Roedd yn teimlo'n gyffrous gan fod Cadi,
ei ffrind gorau, yn dechrau yn yr ysgol hefyd.

Ond doedd Stegosaurus ddim eisiau mynd. Roedd Triceratops
wedi dweud wrtho nad oedd hawl dweud Raaaaa yn y dosbarth.
Ond doedd dim angen poeni, meddai Mam.

Chwythodd Owain ei chwiban yn union
fel athro.
  'Yn ddau a dau, law yn llaw, deinosoriaid.
Dim siarad, a neidiwch i'r bwced.'

Dyma'r deinosoriaid yn gwrando
ar Owain. Pawb ond Stegosaurus.
Roedd o'n nerfus a'i blatiau'n crynu i gyd.
Rhoddodd Owain fwythau iddo.

'Chei di ddim mynd â'r deinosoriaid i'r ysgol, twpsyn!' meddai Ela. Dyna pam aeth ei thost dros y lle i gyd.

Aeth Mam ag Owain i'r ysgol.

Roedd Mrs Dalis yn sefyll wrth ddrws y dosbarth pan gyrhaeddodd Owain a Mam.

'Helô, Owain,' meddai hi. 'Croeso i'r ysgol.' Dywedodd pawb 'hwyl fawr' wrth y mamau a'r tadau.

Yna, dyma Mrs Dalis yn dangos y cyntedd i Owain.
'Cei di adael dy becyn bwyd yma hefyd,' meddai hi.
Roedd Owain yn rhy swil i ofyn am ei fwced. Dyma pam
na chafodd y deinosoriaid ddod i mewn i'r dosbarth.

Teimlai Owain yn unig heb ei ddeinosoriaid. Felly, roedd yn gas ganddo'r dosbarth, y tŷ bach twt a'r cornel darllen.

Teimlai drueni hefyd am fachgen newydd arall. Roedd hwnnw wedi bod yn dal yn dynn yn ei dractor ers i'w fam fynd adre. Roedd yn gwrthod dweud gair, yn cynnwys dweud ei enw.

Roedd yn well gan Owain fod allan ar yr iard amser chwarae. Ond hyd yn oed wrth chwarae ar y ffrâm ddringo, roedd Owain yn dal i deimlo'n unig heb ei ddeinosoriaid.

Yn ôl yn y dosbarth roedd y bachgen â'r tractor yn dal
i wrthod siarad.

'Mi ddangosa i ble mae'r tŷ bach,' awgrymodd Owain.

Cytunodd Mrs Dalis fod hynny'n syniad da.

Ond roedd y bachgen yn dawel yr holl ffordd i'r tŷ bach.
Ac yn dawel ar y ffordd nôl hefyd, nes iddyn nhw gyrraedd
y cyntedd. Dyna pryd glywson nhw lais bach tawel a thrist.
'Raaaaaaaaaaaaa!' meddai.

'Fy neinosoriaid i ydi rheina,' meddai Owain. 'Maen nhw'n unig fan hyn. Hoffet ti eu gweld nhw?'

Dyma'r bachgen yn cytuno felly dywedodd Owain. 'Dyma fy Apatosaurus a'm Anchisaurus a'm Scelidosaurus i.'

Dyma Triceratops a Tyrannosaurus. Pterodactyl yw'r babi.
Aros am funud. Ble mae Stegosaurus?"

'Neidia allan, Stegosaurus,' galwodd Owain. 'Paid â bod yn swil.'

Ond roedd Stegosaurus eisio gair yng nghlust Owain.

'O,' meddai Owain. 'Mae Stegosaurus yn dweud ei fod yn fodlon dod allan os caiff dro ar dy dractor di.'

Ac er mawr syndod, dyma'r bachgen yn cytuno a phasio'r tractor draw.

Ar ôl i Owain a'r bachgen gyrraedd y dosbarth, dyma Mrs Dalis yn dweud, 'O da iawn! Deinosoriaid. Dwi wrth fy modd â deinosoriaid. Fedran nhw wneud sŵn Raaaaa?'

'RAAAAAAAAAAAAAA!" meddai'r deinosoriaid gan chwythu'r ffenestri i gyd ar agor.

'Arswyd y byd!' meddai Mrs Dalis. Dyna beth oedd Raaaaa!'

Eisteddodd pawb i lawr wrth eu desgiau.

'Beth am wneud labeli i'w rhoi ar eich pegiau cotiau yn y cyntedd?' meddai Mrs Dalis. 'Dwylo i fyny – pwy sy'n medru ysgrifennu eu henwau?'

Dyma'r bachgen â'r tractor yn codi ei law.

'A beth wyt ti am ysgrifennu?' gwenodd Mrs Dalis.

'Rhysosaurus!' meddai'r bachgen.

Dyma'r gair cyntaf iddo ddweud drwy'r dydd. A jôc dda oedd hi hefyd!

Dechreuodd y plant eraill chwerthin a chwerthin.

Roedd Owain wrth ei fodd.

Eisteddodd Cadi, Owain a'u ffrind newydd Rhys wrth y bwrdd gyda'r deinosoriaid.

A dyna lle bu'r criw drwy'r prynhawn
yn chwerthin ac yn gwneud sŵn Raaaaa
wrth greu labeli hardd i ddangos pwy oedd pwy.

DIWEDDOSAURUS

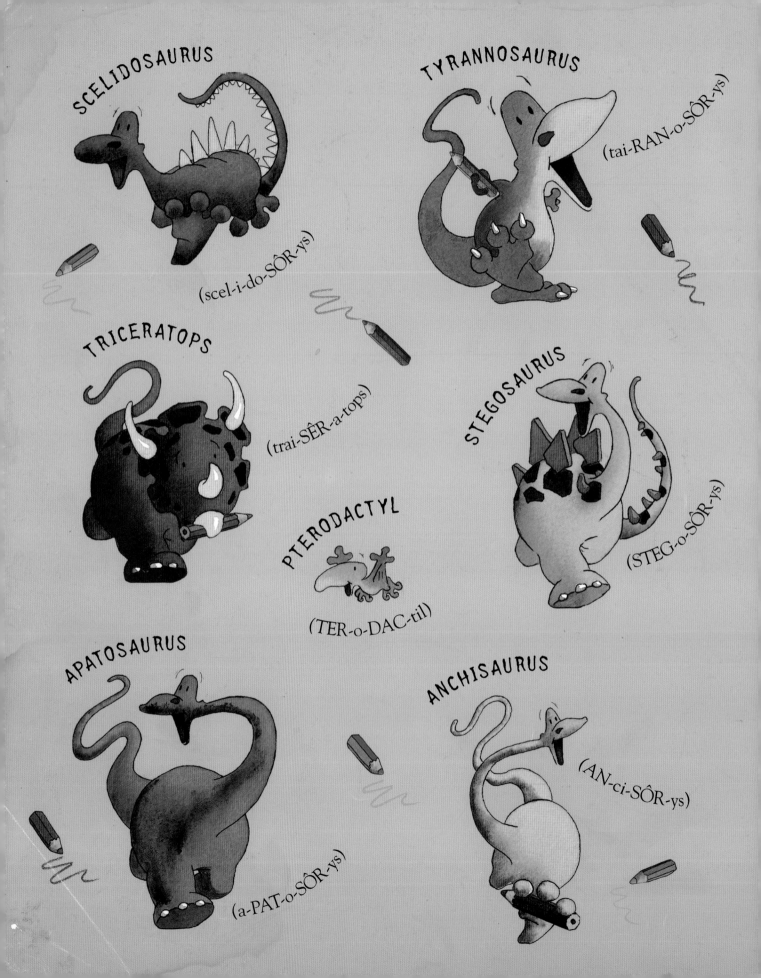